CONTENTS

● CONTENTS ●

10

SLAM
슬램덩크 완전판 프리미엄
DUNK

선수…
생명…?

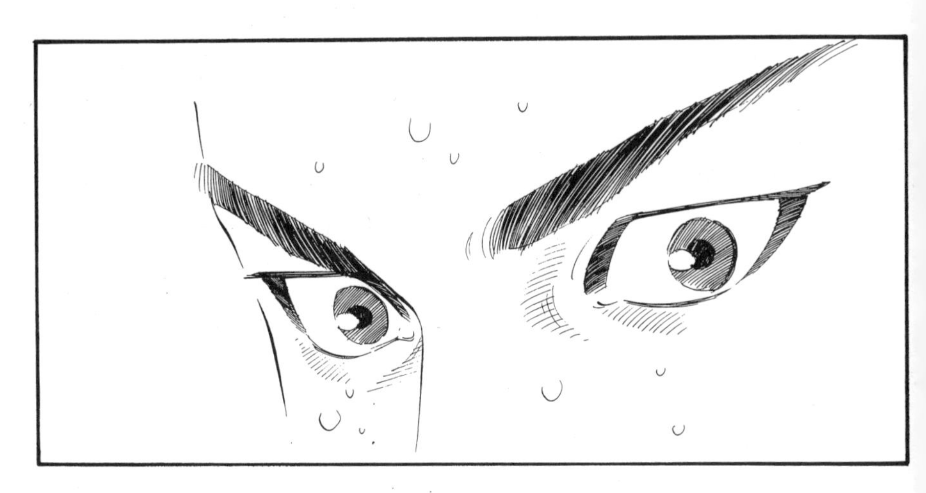

SHOHOKU
10
SHOHOKU
SHOHOKU
SHOHOKU
SHOHOKU

…농구를…더 이상 할 수 없다는 뜻…?

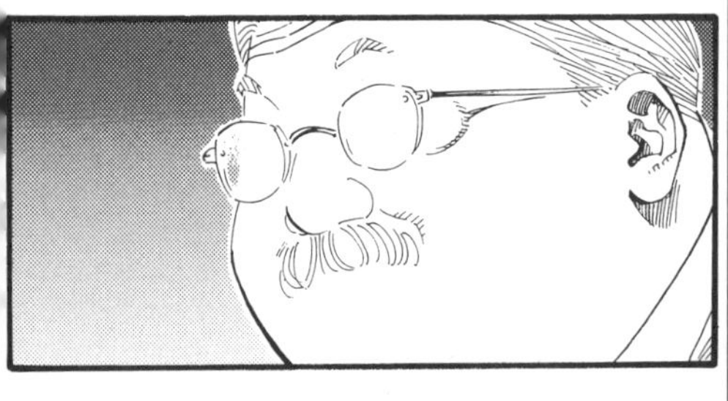

#267 선수 생명

강백호!!
몸은 어때?

헉
헉
헉

꽤 심하게 처박힌 것 같던데…. 괜찮아?

앙?
헉
헉
헉

아까 루즈 볼을 잡아낸 건 정말 기막혔어!
볼을 기적적으로 살렸잖아!

등 부상은 선수 생명과 관련돼 있어.
선수 생명….
선수 생명….

난…
왜 쓸데없는 말을 해서 저 애를 불안하게 했을까….

단순한 타박상일 수도 있는데….

하지만….

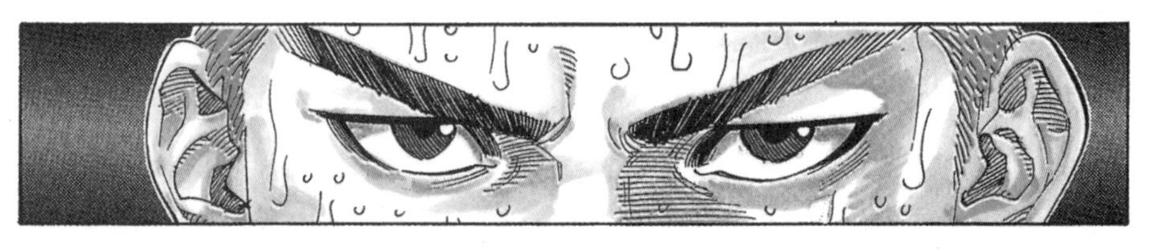

끝이군….
선수 생명….

뭐?

……!!

……
성큼
성큼…

SHOHOKU
10

—보통
사람이라면,
이녀석 같은....
불꽃남자 정대만
SHOHOKU
10

아하하핫!
이 천재 강백호를 보통 사람 취급하면 곤란하지!!
몇 번 말해야 알아 듣겠냐?!

불사신!!
불사신이다!
지금 울고 있었지, 고릴라?
윽!

시합 중에 울지 마, 창피해 죽겠으니까.
시끄럿! 이 멍청한 녀석!
맞아, 맞아.

……

헉

북 산
1:59
산왕공업
SEIKO
69
74
2ND

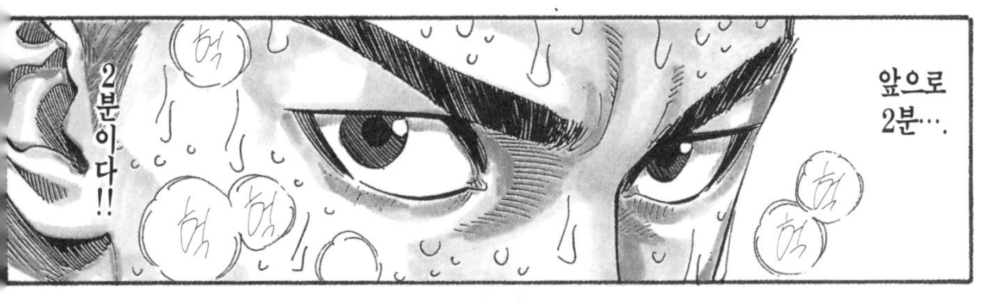
앞으로
2분….
2분이다!!
헉
헉
헉
헉

이봐요, 영감님!
우린 역전할 수 있죠!!
예?!

물론이라네.

백호군은
우리 팀에
리바운드와 끈기를
더해 주었네.

태섭군은,
스피드와
감성을….

엥?

대만군은
예전엔
혼란을….
호호홋….
하지만 지금은
지성과…
비장의 무기인
3점슛을….

태웅군은
폭발력과,
승리를 향한
의지를….
Ta.

치수군과
준호군이 지금껏
지탱해 온
토대 위에,
이만큼의
재능들이
더해졌네.

이것이
북산이야.

SHOHOKU

삐
삐익
와아아
자아, 나가랏!!
북산!!
산왕!!
산왕!!
산왕!!
북산!!

우리들이 서로 각별히 친한 것도 아니고,
너희에게 화가 날 때가 더 많았다….
앙?
하지만….
우리 팀은…
최고다….

엉?
뭐?
고맙다….

하지만 뭐야?
아냐….

맞아! 날 위해서!
고릴라를 위해서가 아냐!!
무슨 웃기는 소리야! 난 내 자신을 위해서 하는 거야!
내 자신의 승리를 위해서야!
욱…!
뭐가 고맙다는 거야!
어서 나오시오!!
자아! 나가자!!

반드시 이긴다ㅡ!!
오옷!!
좋아, 힘차게 나가랏!

아!!

이명헌의
포스트업!
미스매치를
살린
공격인가?!

아냐, 그렇게
보이지만
패스할
상대를
찾고
있는
거다.
이 녀석은
어디
까지나
공격의
기점
이니까.

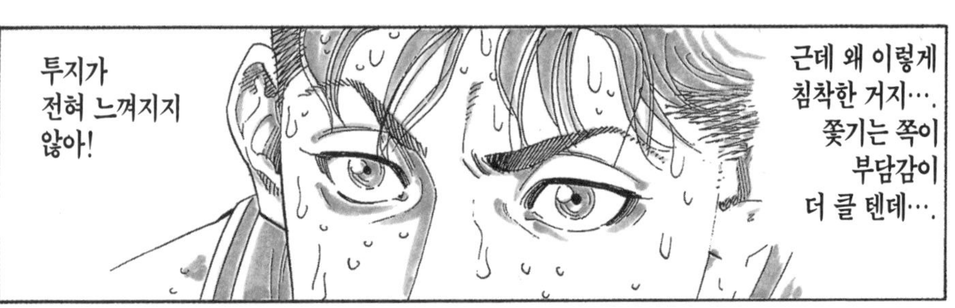
근데 왜 이렇게
침착한 거지….
쫓기는 쪽이
부담감이
더 클 텐데….
투지가
전혀 느껴지지
않아!

!!

앗,
턴!!
레이업?!

오옷!

!!

신현철,
노마크다!!
탁

크앗!!!
!!

역시!!
이명헌과 신현철!!
콰오오오
우오오
이것으로 끝이다!
떡판 고릴라!
그렇다.
상대는 어디까지나─.

헤헷!!
최강 산왕──!!
헉
헉

#268 최강 · 산왕의 체력

山王工高
4
엉?!
!!
!!
!!

와
아
존
프레스!

우아아아아~!!
전혀 지치지 않았잖아?!
엄청난 체력이다—!!
도 감독……!
송태섭!!
태섭아!!
빠져나가지 못할걸용!
뭣이!

엄청난 남자로군, 도감독!!
이 상황에서 존 프레스라니?!
지는 쪽의 작전이라면 이해가 가지만….
북산
69
1:40
SEIKO
2ND
산왕공업
76
지금부터 시간만 끌면 승리가 장담되는 점수차다!
흐압…!
젠장, 뚫지 못 하겠어!
헉
헉
헉
아까와 같은 날카로움은 이제 없군용.

얌전히
달아날 생각은
털끝만치도
없다.
마지막
라운드까지
전력 질주다!!

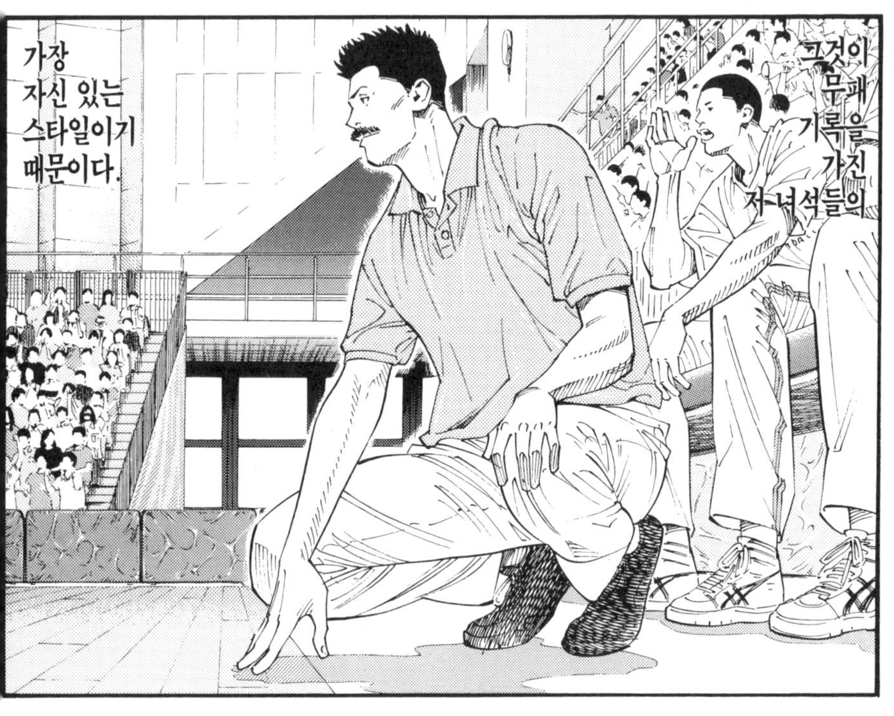
그것이
무패
기록을
가진
저 녀석들의
가장
자신 있는
스타일이기
때문이다.

태섭
오빠!!
아아,
송태섭!!

태섭아!!
사나이라면
뚫고 나가!!

이렇게 엄청난
덩치들한테
막혀 있는데,
어쩌란 말야.
드리블이야말로
단신 선수가
살 수 있는
유일한
길이다!!
!!

두
웅
!!
뚫었다!!
오오!!
!!
나이스,
송태섭!!
굉장히 낮은
드리블이다!!
와아

헉
헉
와
앞을 봐, 바보야!
앗.
와
어느새 수비 위치로!
속공은 무리다!
와
와
와
와
…완벽한 디펜스다….
와
욱….
와
와아아
앞으로 1분 30초 남았어!!
야, 시간이 없단 말야!!

와
7점차라면 앞으로 적어도 세 번은 넣어야 되는 거지?
그래. 더구나 그것도 한 골도 내주지 않았을 때의 얘기라구!
와
그건 무리잖아!
이봐!
와
…그래…. 무리야!
음! 도저히 백호가 어떻게 해볼 수 있는 상황이 아냐!
백호야——!!
와
와
아니, 그보다….
저 녀석.
뭔가 이상해.
응?!

헉
헉
허헉
헉
헉
헉
SHOHOKU

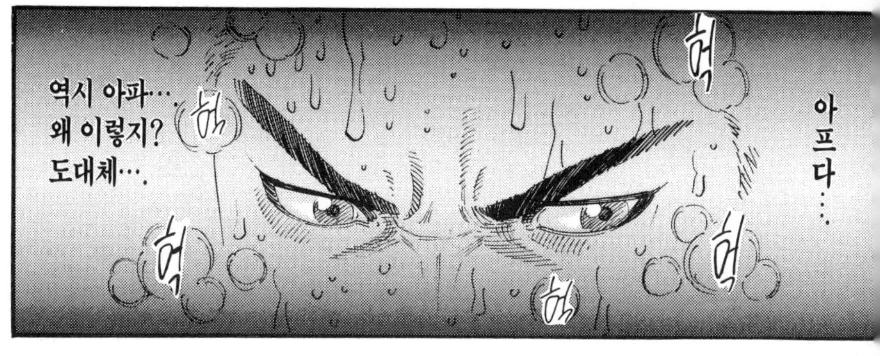
아프다…
헉
헉
역시 아파….
왜 이렇지?
도대체….
헉
헉
헉

무리하지 마라.
빨강 까까머리….

……!!

네겐
미래가 있다.
떡판 고릴라——!!

도전해 온다면
적당히
상대해 줄
남자가 아니야.
나는….
!!
욱
떡판
고릴라
녀석….
눈치 챘어!
선수 생명….
山王工高
7
헉
욱
10

와아아아아아아
산왕공업
1:20
북산
SEIKO
69
2ND
76
멋진 수비다!
누구 하나 물러서지 않는다!!
디펜스!!
디펜스!!
디펜스!!
존경스럽다….
산왕….
북산은 패스를 돌릴 뿐 공격하지 못하고 있어!!
오펜스!!
오펜스!!
오펜스!!

와
와
이럴 땐
채치수밖에
없다.
와

타
악
흐
채치수!!

하지만 형인 신현철이 무시무시한 스피드로 동생을 도와준다.
신현필은 네 상대가 아냐!!

꼴사납군, 정말! 페이드 어웨이로 도망치기나 하고!
몸을 뻗어 봐!

정면돌파다!
정면돌파다!

그것이 네가 해야 할 플레이다!!

네 엄청난 몸집은.
네 엄청난 몸집은 그것을 위해 있는 거야!!

우오옷!!

응?!
드
억
우오오오!
삐
익
!!
좋았어,
바로
그거야!
비록
실패해도
너의 승리다!
카
앙…

들어가라!
!!
앗

!!
천재박명(天才薄命)

뭐…!
뭐야…?!
BUILT TO SPILL
Ta.

백호야——!!
와아아아아아
SEIKO

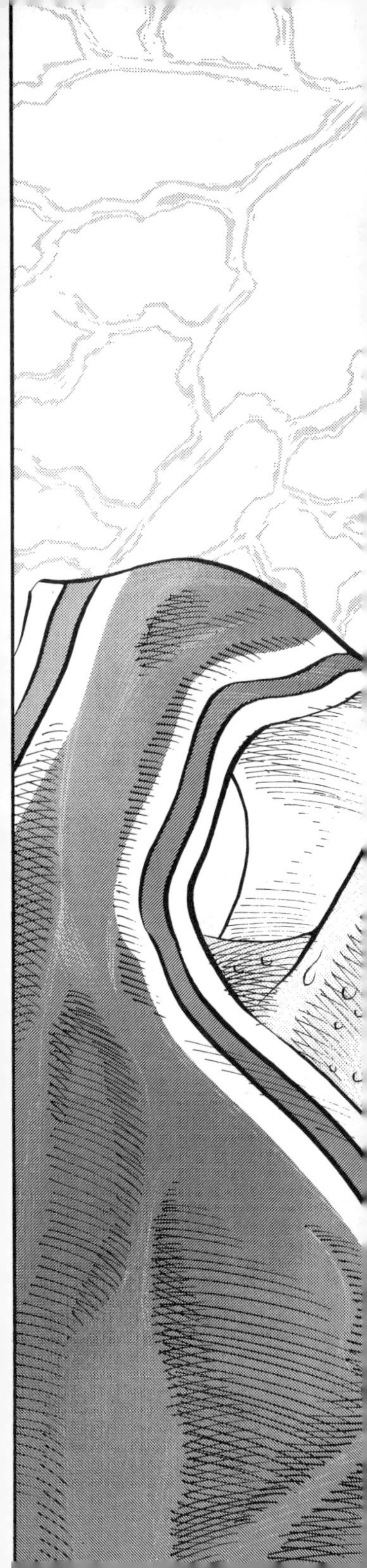

#269
천재박명
(天才薄命)

와
뭐…
뭐라구―?!
와
와
라스트 1분!!
절대 실패하면
안 돼!!
와
좋아!
부탁한다,
채치수―!!
와
와
와
와
그래!!
와
프리스로!!
최후의
추격이다!
……
!?

툭
!?
삐드득
쾅

웅
프리스로는
4번이다.
웅
내
프리스로다,
강백호!!

부들...
부들
웅성

웅
?
웅성

턱
어
!!
허억…
SHOHOKU
山王工高

노 카운트 라구…? 웃기지들 말라 그래…
이 천재의… 슬램덩크를…
죽을힘을 다해 따라 붙어라!
시끄럿, 여우 녀석….
잠깐 기다려.
이봐.
난 교체하지 않을 거야.
욱
욱
욱
욱
욱
욱
서태웅.
너 따위는 언젠가 눌러버릴 생각이었는데….

아프다.
우욱….
……
아까 루즈 볼 잡을 때 부딪쳐서 다친 겁니다.
한나 씨….
어… 어딜!?
말하지 마….
등—!
……
헉
헉
헉
헉
헉
헉

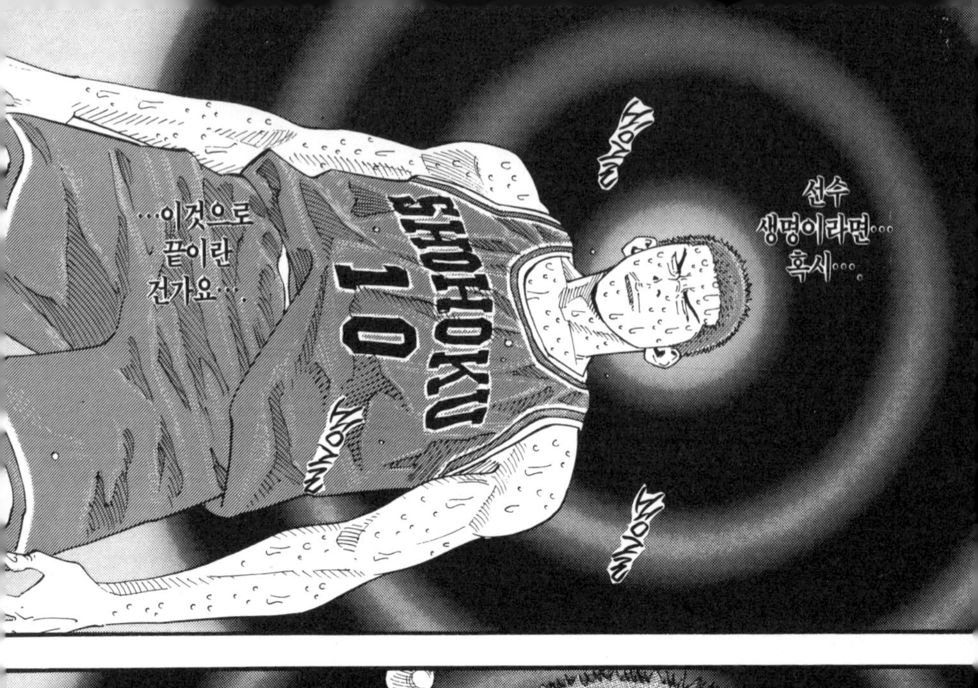

선수
생명이라면…
혹시….
…이것으로
끝이란
건가요….

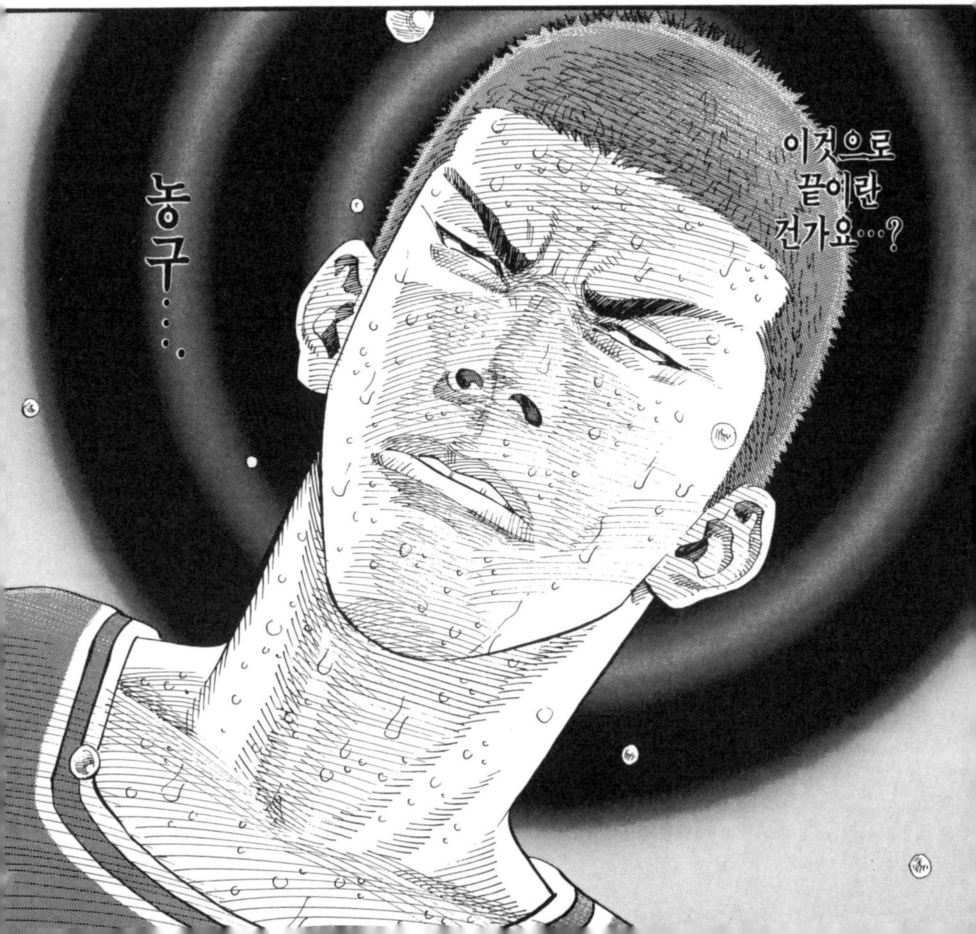

이것으로
끝이란
건가요…?
농구….

이제 농구는
…할 수 없다는 건가요…?

…이것으로
끝이라고
할 정도의
부상은
아닐 거야.
…부상당한 뒤
한동안은
움직였던 걸
봐서도….
다만….
다만
—.
…이 아인 불과
4개월 만에
놀랄 정도로
엄청나게
실력을
쌓았어!
놓고
온다!!!
여러 가지
플레이를
몸에 익혔지
SHOHOKU
10

만일 치료와 복귀에 시간이 걸린다면
플레이를 오랜 시간동안 하지 못한다면 …
배운 것을 잃어가는 것도 빠를 거야.

이 4개월이

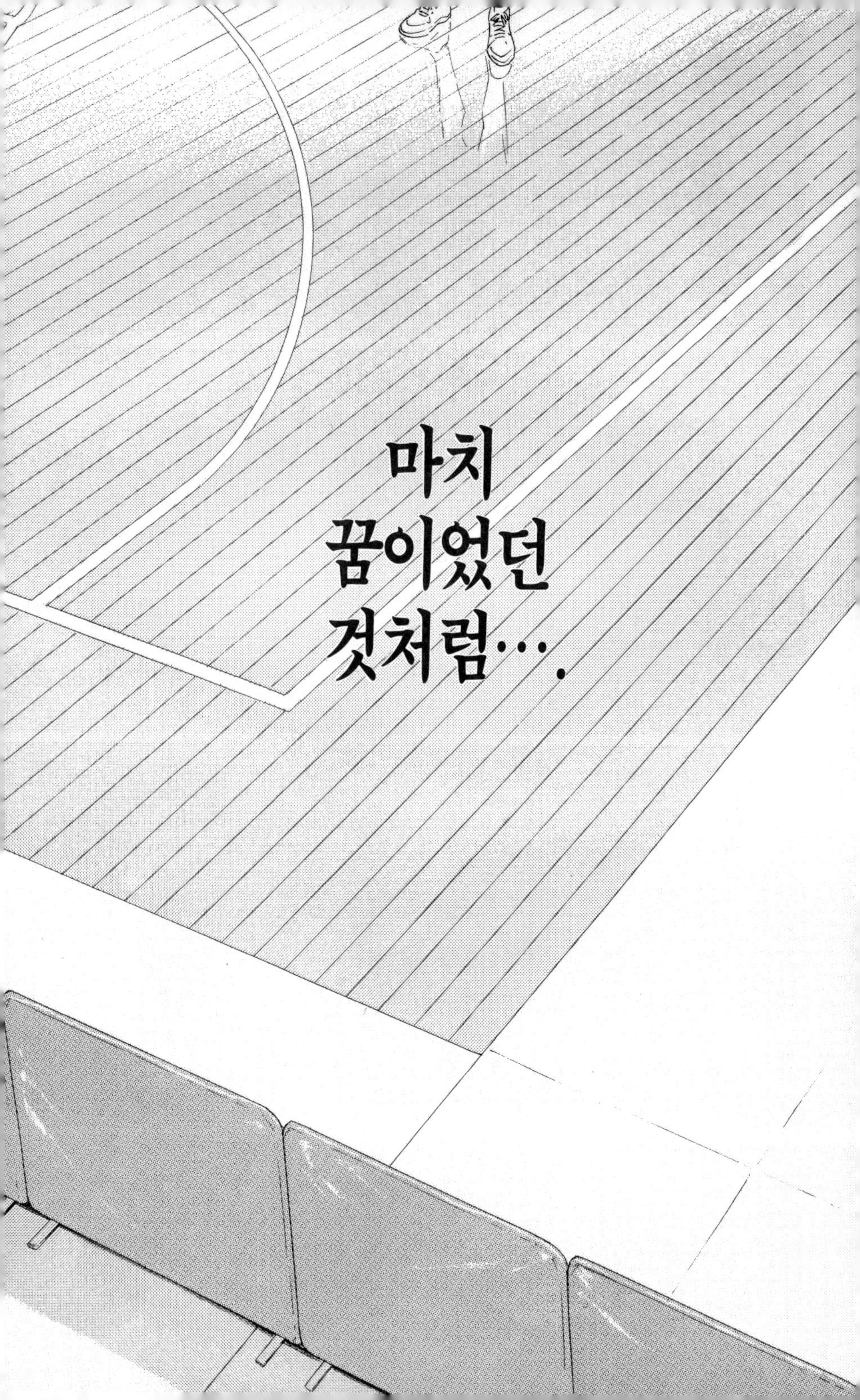
마치
꿈이었던
것처럼….

SHOHOKU
북 산
69
70
나이스—!!

북 산
70
2ND
하나 더!!
치수야!

와
이번 것
넣지 못하면
죽여 버릴 거야!!
헉
헉
헉
헉
오오!
얼마뜨러……
헉
헉
헉
와
툭
허
허
허
허
와
와
와
와
허
허
허

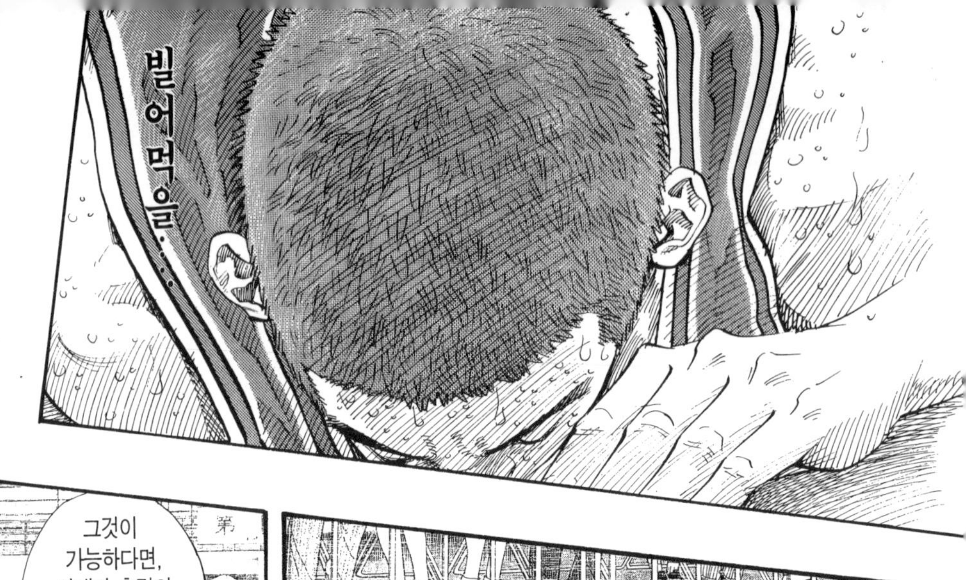
빌어먹을…

오잉?!
?
꾸욱
꾸욱

내가 주문까지 걸어놨으니까!
부탁한다, 백호야!

아…?
주문?!

쭈욱
나도.
쭈욱
내 주문도.
나도…
왜, 왜들 이래?! 집단으로 돌았나?!
붙어라, 붙어라, 공공~!!

그것이 가능하다면, 자네가 추격의 히든카드가 되는 거예요…!!

……!!

파
리바운드
전국 데뷔
야
악!!
우와앗!! 엄청 높아, 저 빨강머리!
휙
벅
아자!
파인 플레이였어, 강백호!
파인 플레이…
반짝—…
으랏차차차——!!
붕
붕
붕
역시 천재!!
엉?
아아아

지금이
가장 성장할 수
있는 시기다…
……
꾸욱
……
슛 연습은
정말 즐거운
것이었다.
으랏차차
—!!!
우와아아아아아

그래!
리바운드왕
강백호!!
콰앙
교체는
바로
너와 한다.
아까웠다.
너로선….
그래
그거야
텅
내리친다!!
스타
치수
대민
태섭군,
태웅군,
두근
!!
그
백호
SHOHOKU

나…
왠지 점점 자신이 생긴다….
일어나길 잘했다—
2만개다——!!!
와 아 아
퐁
아 아
끝났다——!!!

빌어먹을!
농구…
좋아하세요?
농구…
좋아하세요?

정말
좋아합니다.

이번엔
거짓이
아니라구요.

SLAM
슬램덩크 완전판 프리미엄
DUNK

근…
두근…
아— 깜짝이야!
"정말 좋아합니다" 라니…?
순간 고백한 건줄 알았잖아….
나도.
"농구가 좋다"는 얘길 거야.
두근…
두근…
第 回 高等学校バスケットボール選手権大会
SHOHOKU 4
SHOHOKU 5

제발 들어가라!
헉 헉 헉 헉 헉
全国高等学校バスケット
SHOHOKU
4
山王工高
4
6
SHOHOKU
5
제발—!
헉 헉 헉 헉
……
山王
4
4

!!
강백호?!

!!

나이스ーー!!
......

교체해
주세요.
웅
헉
헉
헉
헉
헉

!!
SHOHOKU
11
SHOHOKU
7

배…
백호야!!
임마!!
강백호!!

뭐하는
짓이야,
너!!
강백호?!

백호군!

……

!!

헉
헉
헉
헉
고릴라….

곧
가겠다!!
와아아아아
그때까지
골밑을
부탁한다!!
와아!
무사했구나
10번!!
와아
좋아!
다시 나와라,
빨강 까까머리!
아아아아
강백호!!
산왕을
따라잡기
위해선 네가
필요하다!!
와아아
아아

백호.
헉
너…
헉

헉
헉

헉
헉

와
쓸데없는 소리 하지 마!!
어서 이리와!!
우욱…
거봐! 제대로 서지도 못하면서!!
와
와

와
미안하네. 교체는 취소야.
이….
와
이봐요, 영감님!!

백호군….
윽…
와
와
미안하네.
와
와
와
자네 몸의 이상은 바로 알았네….
알고 있으면서도 자넬 바꾸지 않았지. 아니, 바꾸고 싶지 않았어.
와
와
バスケットボール選手権大会
SHOHOKU

자꾸자꾸
성장해 가는
자네의
플레이를
보고 싶었기
때문이야….
난
지도자
실격일세.
조금만 늦었어도,
난 평생을 후회하며
살아갔을 거네….

산왕!!
북산!!
산왕!!
1:09
북산
SEIKO
76
71
2ND
앞으로 1분!!
절대 포기해선 안 돼!!
자, 함께 응원하자, 백호야!!
……
뚝
음?
영감님의 영광의 시대는 언제였죠…?
국가대표였을 때였나요?

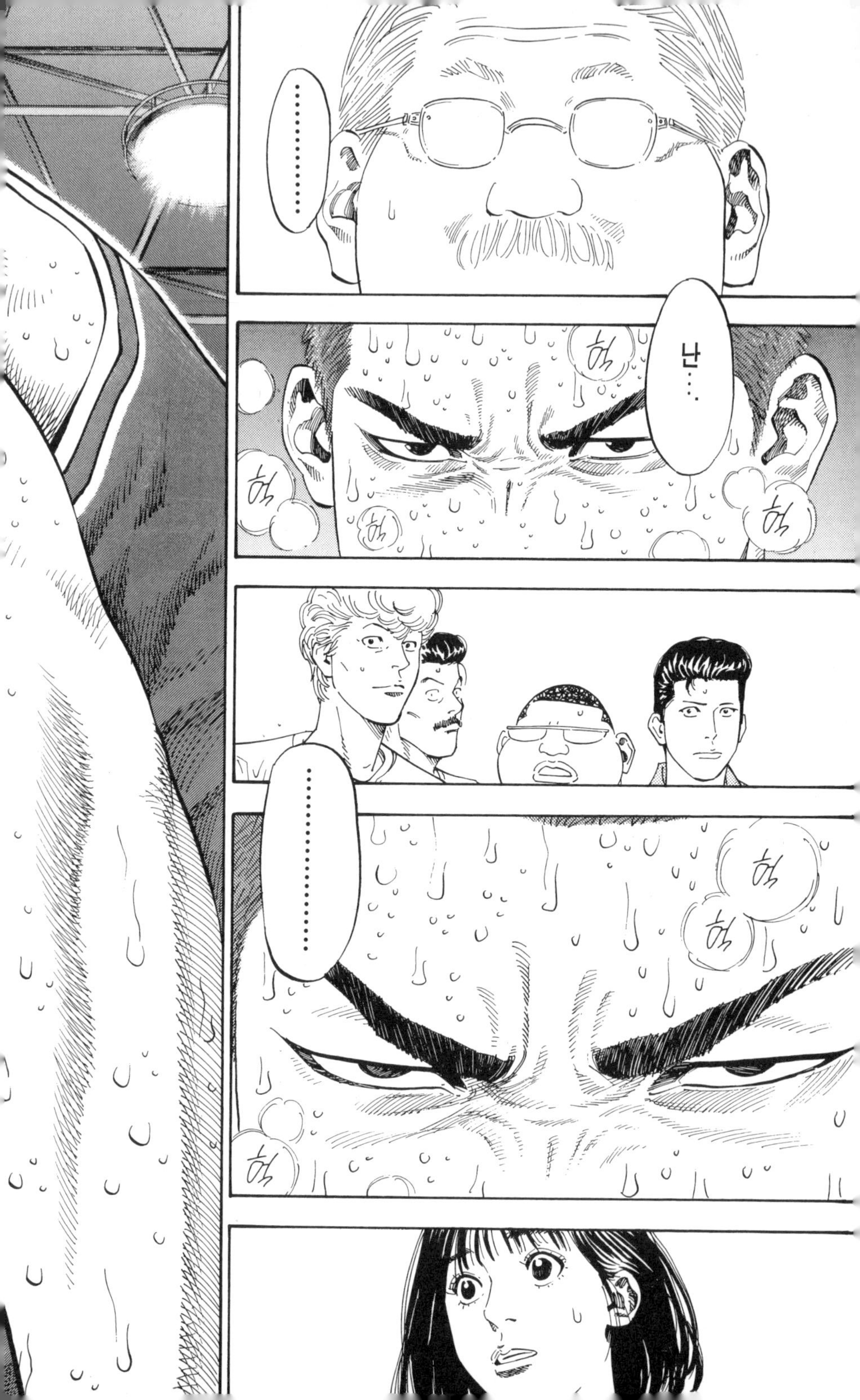
……
난…
허
허
허
허
……
허
허
허

헉
헉
헉
헉
난
지금입니다!!

단단히
결심했어.
…설령
소연이라
해도 말야….
중얼
이제
저 녀석한테
무슨 소릴 해도
들어 먹히지
않아요.
응…?
아무것도
아냐.
…아니,
딱 한 명….
백호를
움직일 수
있는 건….

삐
익
쿠
우
아앗!!
북산 11번
푸싱!!
헉
와
와
헉
와
와
와
헉
야,
너….

그런 곳에
멍청히
서있으니까
눈에 거슬린다….
왁
왁
왁
왁
……
헉
헉

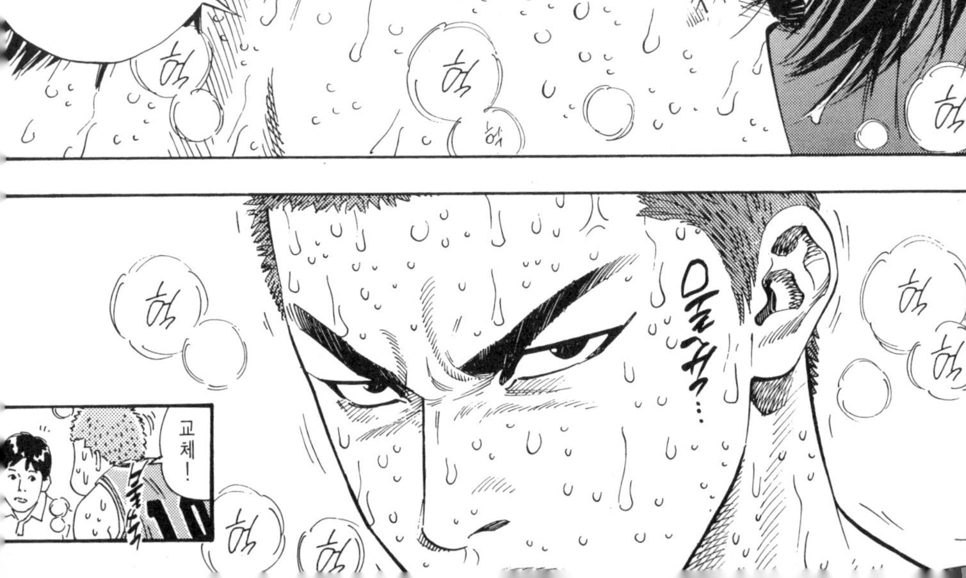
나올 테면
나와라!
멍청이!
헉
울컥…
헉
헉
교체!
울컥

삐익
교체입니다!!
SHOHOKU
10
앗?!
백호야?!
결국
나오는가
…?

야, 강백호!!
백호야!!
헉
헉
헉
영감님.
간신히 생겼어요.
영감님이 말했던 거….
……
간신히….
헉
헉
단호한 결의라는 것이….
헉
헉
헉
왔다, 빨강 가머리 —!!

기다렸다~!!
마음껏 날뛰어라~!

강백호──!!!
헉
헉
헉
헉
헉
두웅
와아아
와아
SHOHOKU
4
10

와아
백호, 너….
괜찮은 거야?
안선생님 지시야?!
……
흠…
왜들 그래. 심각한 얼굴들을 해 가지고선!

하하하
왠지 불안했던 모양이군, 너희들!
내가 없으니까!
안 그래?!
헉
헉
헉
헉
헉
헉 헉
헉
헉

와 와
이 천재에겐
오히려 좋은
자극이 되는
핸디캡이지.
산양 정도의
상대라면 말야.
와 와
뭐?!
어쨌든
세계무대로
나갈 나에게
있어서,
산양 따윈
그저 통과점에
지나지
않으니까!
헉
헉
헉
헉
헉
헉
하하하하하

……
헉
헉
헉
헉
헉
반드시 우승하는 거지, 고릴라?!
녀석들 원 과점에 과할 이지?!
헉
헉
헉
으윽!
헉
헉
헉
헉
헉
헉

……!!
흥!!
뭣이?!
어째서 1학년
애송이인 네놈한테
그런 소릴
들어야 하냐!!
……
왓
앞으로
1분!!
산왕공업
76
1:00
SEIKO
북산
71
5점차!!

반드시
승리한다!!
오너라,
산왕!!

헉
헉
오너라!!
헉
이 녀석들이——!!
진심이야! 진심으로 역전해버릴 셈인가봐, 저 녀석들!
남은 시간 1분 만에 5점차를 따라잡겠다는 기세야!!

파이팅,
북산―!!
산왕을
무찔러라―!
여기까지
따라붙은
이상
역전해라!
무슨 소릴
하는
거야!
이런 풋내기
팀한테 질 성
싶으냐!!
격이
달라!!
디펜스!!
디펜스!!

와아아아아
디펜스—!!
제발 막아—!!
북산
산왕!!
북산!!
산왕 공업
산왕!!
와아아
사수하라—!!
사수—!!
이젠 1분도 안 남았어!
한 골이라도 먹으면 거기서 끝이야!!
와아아아아
앗?!

응?!
타
악
신현철이
외곽으로
빠졌다!!

쿵
우윽!

왜 나왔냐,
빨강
까까머리
…
멍청이.

아앗…
푸웅
으윽!
안 돼!!
버티지
못하고 있어!!
밀린다!!
와아
포지션을
빼앗겼다!!
타악
골밑
노마크!!

가랏, 신현필──!!!
山王工高
15
SANNOH BASKETBALL

우오오옷——!!
태웅아!!
큭…

불사신
강백호!!!

아-
콱
앗—
......
닛—?!

간다,
태웅아!
우오오오~ 옷!

……!!
잘 돌아왔다, 명헌아, 현철아!
너희 둘이라면 막을 수 있다!!
山王工高
山王工高
SHOHOKU

!!
슥
우오오오옷!
야
아-.
훼이크
!!

윽!!
……!
王工高
6
14

철
썩
THE MODERN LOVERS
MAEKI
4

흐 흑···

바스켓
카운트
—3점!!

파울!
산왕 6번 푸싱!
원 프리스로—!!

回全国高等学校バスケットボール選手権大会

북산
49.1
산왕공업
74
SEIKO
2ND
76
대만아,
정말 잘
달려주었어!
흐윽….
히잉~.

북산에 들어오길 잘했어….
야
야
야
멋지다. 대만이도 …,
굉장해…. 어디서 그런 힘이 나오는 거냐. 그것도 저런 최강팀을 상대로….
득점한 거지?!
야, 3점짜리가 들어간 거지?!

눈물이 멈추질 않아….

즉, 4점 플레이가 된 거야!!
응!! 게다가 파울 당했기 때문에 자유투까지 한 개 추가!
훌쩍
훌쩍

와아아
SHOHOKU
......
와아아아아
이게 도대체 어떻게 돌아가는 거야, 응?!

나이스 로킹이다, 빨강 까머리!!
……………!!
아자――!!
와아앗!!

북산--!!
북산!!
북--산!!
아…
쓸만한
산왕!!
山王
산왕!!
크아아--악!!
북산!!
와
북산 응원이
더 많아진 것
같은데요…?!
산왕!!
와아아아
야
그럴
테죠….
북산!!
야아
북산이 여기까지
따라붙은 이상
저도 보고
싶군요….
아
아

역사가
바뀌는
것을…!!
와아아아아아
잊어
버려용!

여기까지 왔으니, 이제부턴 마음의 승부다—.
얼마나 확실한 자신감을 갖고 있는지…….
얼마나 자신을 믿고 플레이 할 수 있는지……
얼마나 갖은 고초를 헤쳐 왔는지를 생각해라.
파이팅!

SHOHOKU
14

14
10
山王工高
6

북 산
74
49.1
SEIKO
2ND
산왕공업
76

와아아아아아아
우— 우—.
!!

우하하핫!!
봤냐?!
SHOHOKU
14
윽…

산왕공업
북산
SEIKO
2ND

1점차다
ㅡ!!
校バスケッボール
HOHOKU
7
6

우와
1점차
―!!!

북산
47.5
산왕공업
75
SEIKO
2
76
47!!
아아아, 어쩌지!
시끄럿--!!
야, 어쩌면 좋나구!
Ta.
46!!
45!!
44!!
막아!!
절대 놓치면 안 돼!!

죽어도 막아!!
너희들!!
사수!!
40!!
39!!
우오옷!

부탁한다…
힘내!
백호야, 힘내!!
山王工高
송태섭!

서태웅!
힘내
정대만!
힘내!
치수야!!

SHOHOKU
山王高

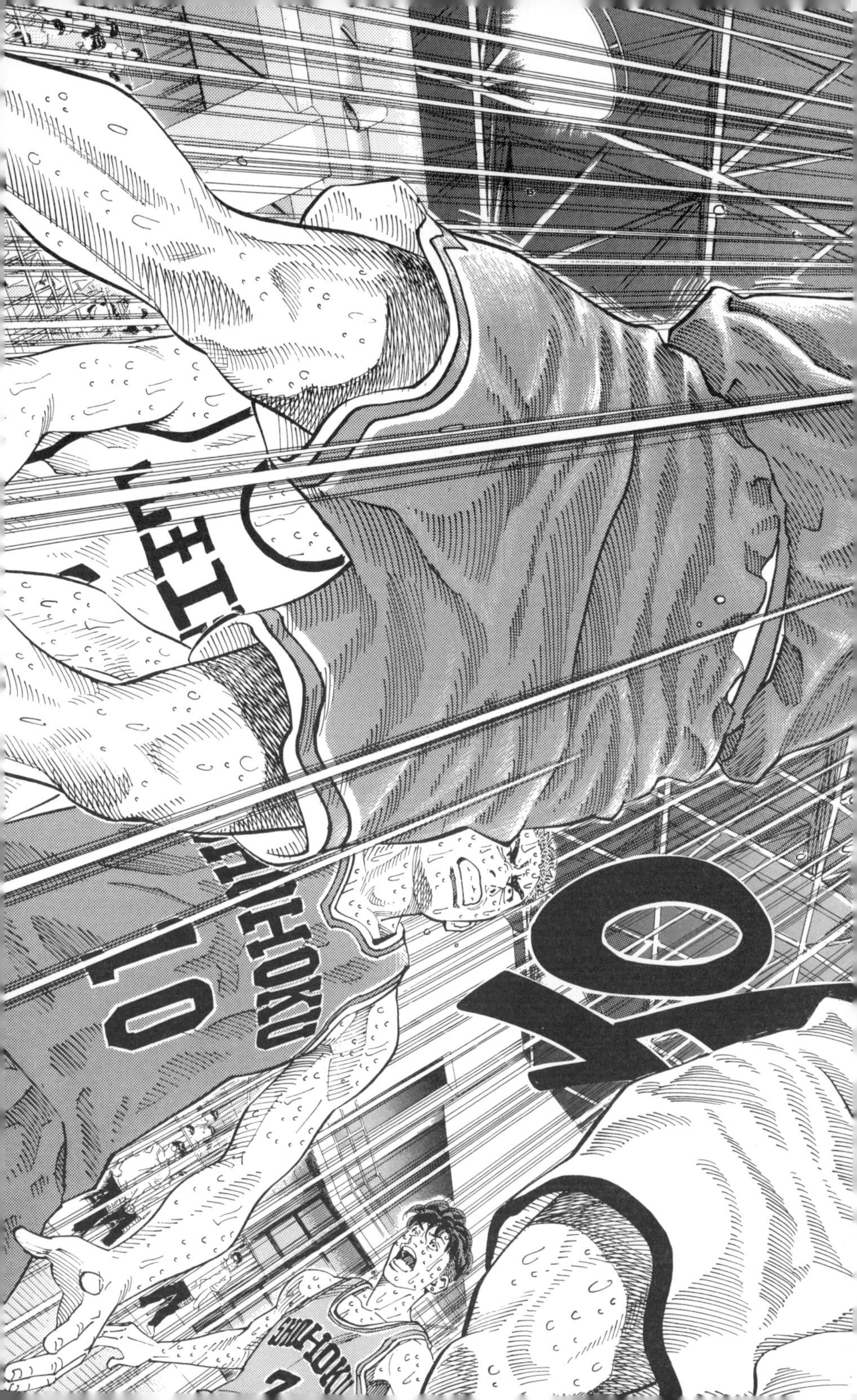

크아악!!
!!

좋았어,
채치수!!
!!
막아냈다
—!!
산왕공업
4
76

山王工高
SHOHOKU
10
북산

우…
우읏-.
아악…

!!
아아~!
우오오오오오!!
가랏,
정우성
—!!

이리
내…!
SHOHOKU
14
山王工高
6

아…?!
……

SHOHOKU
11
山王工高
7
山王工高
4
SHOHOKU
11

오—옷!!

와
막아라!!
어서
막아!!
와
와
와
읏...
와
헉...
와
헉-!
와
와

山王工高
4
!!

우오오오오-!!
SHOH
11
SHOHOKU
5

SHOHO
11

흐럇!
아―!

!!
이걸로
끝이다!
SHOHOKU
10

山王工高

HOHOKU
7
山王工高
6
4

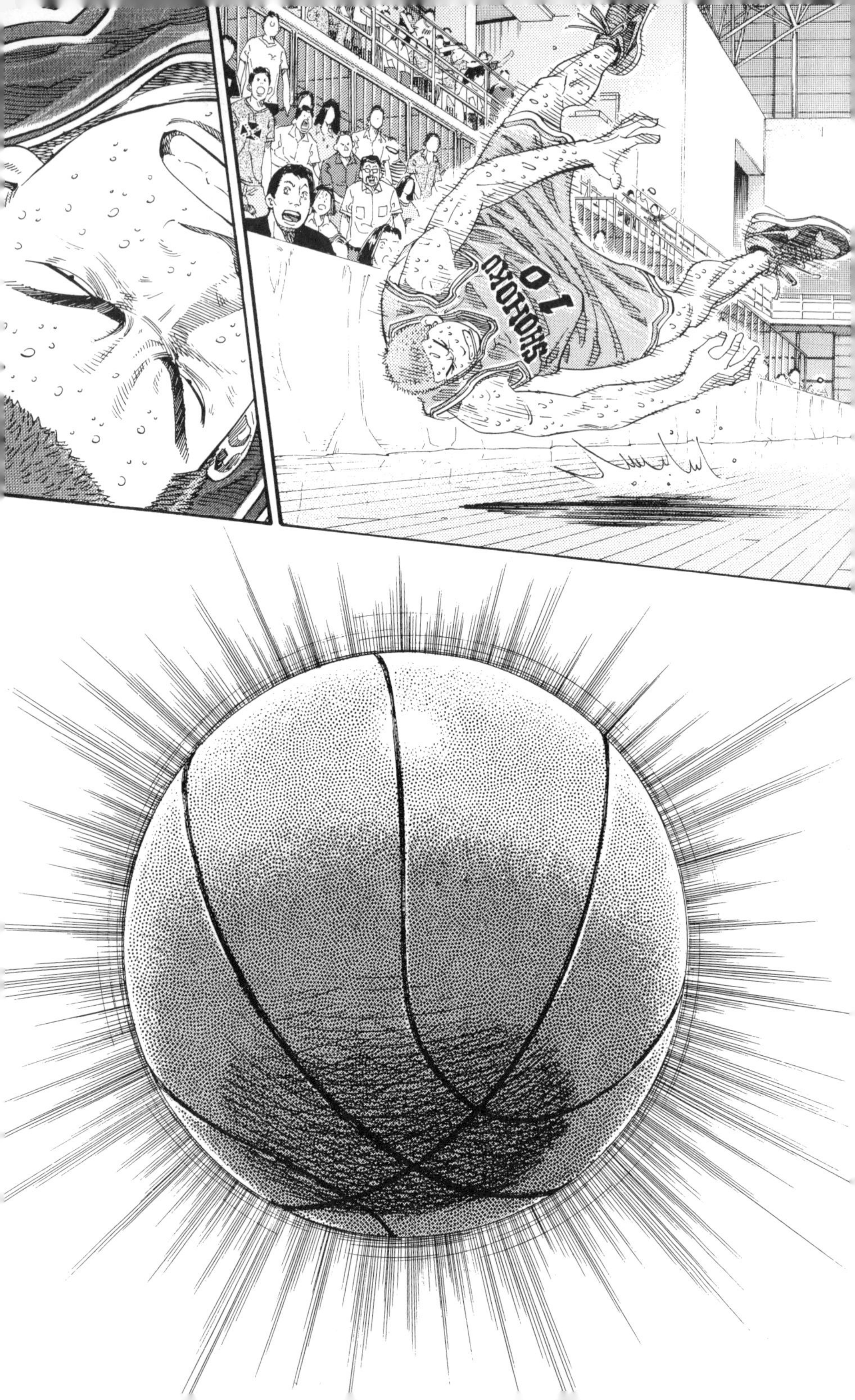
SHOHOKU
10

山王工高
7

PRESS

LUNA
Built to SPILL

산왕공업
76

북 산
77

15
SHOHOKU
4
7

王工高
4

SANNOH
BASKETBALL
SANNOH
BASKETBALL
북산
23.0
77
SEIKO
2ND
산왕공업
22.9

山王工高
20.0
19.9
A GREAT BODY

山王工高
SHOHOKU
산왕공업
77
SEIKO
2ND
북산의
안감독은
교체를 지시.
산왕의
도감독—.
임아웃을
기한다.

10번은
이미 한계를
넘어섰다.
그렇다면
사실상은
5대4의
상황―.
마지막
타임아웃을
포기하는
대신
교체할 틈도
주지 않는다.
SHOHOKU
15.0
14.9

이명헌의
게임 운영에
모든 걸
맡긴다.

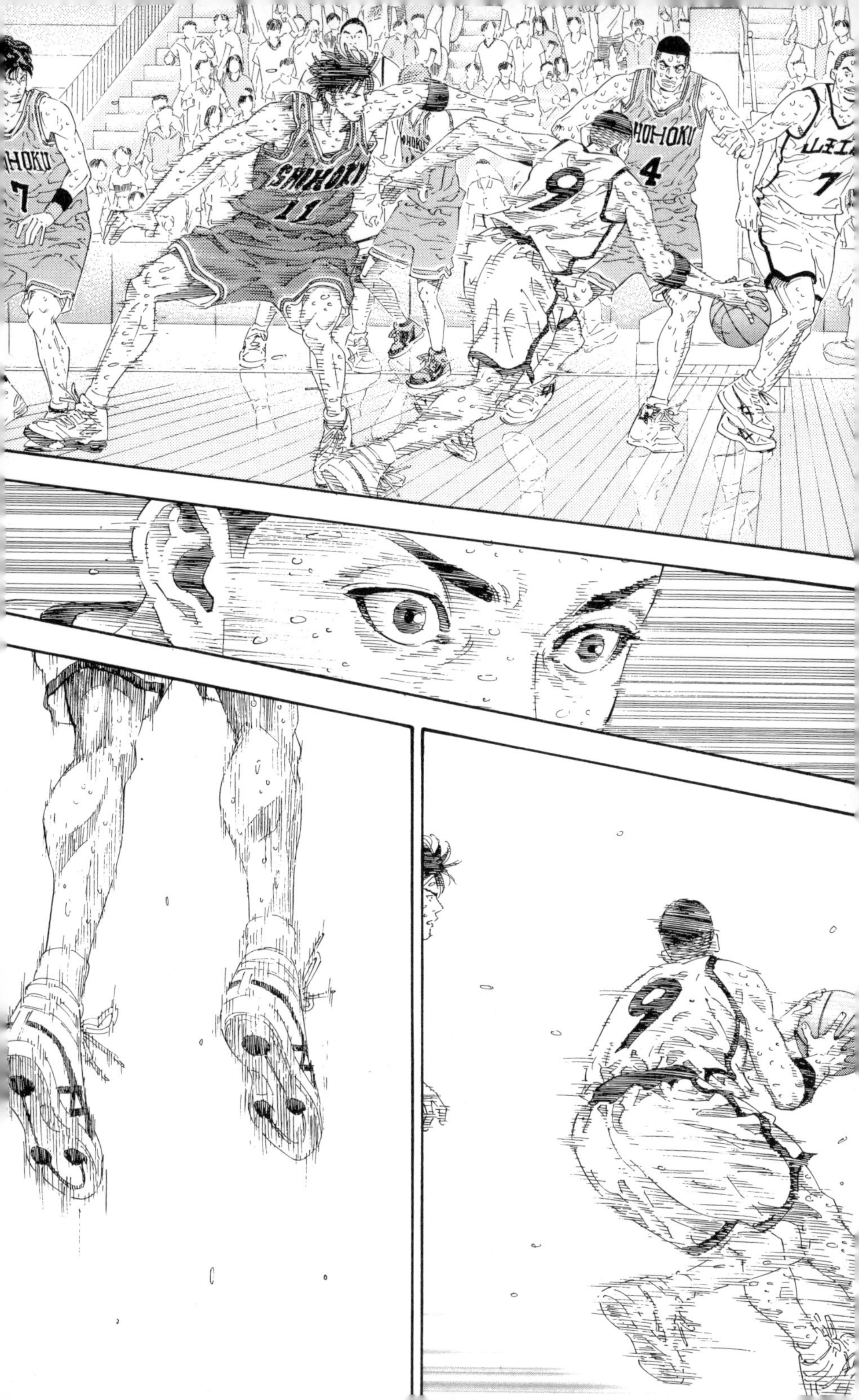
SHOHOKU
11

북 산
9
SHOHOKU
4

9
SHOHOKU
14

工高
15
14

산왕공업
출썩
!!

북 산
9.4
산왕공업
SEIKO
77
2ND
78

山王工高
SHOHOKU

権大会
山王工高
SHOHOKU
!!

SHOHOKU

山王工高

북산
77
2.0
SEIKO
2ND
산왕공업
78

SHOHOKU

왼손은
거들 뿐….

SHUHOKU

SHOHOKU
10

山王工高
SHOHOKU
북 산
산왕공업

SHOHOKU
10

山王工高
SHOHOK
HIGH SCHOOL
BASKETBALL TE

山王工高
9

第 回全
SHOHOKU
10
山王工高
4
山王工高
6

북 산
0.0
산왕공업
SEIKO
77
2ND
78
JABBA
AA

북산
산왕공업
SEIKO
2ND

헉
헉
헉
헉
헉

SHOHOKU
10

OHOKU
10

SHOHOKU
4

북산 산왕공업

79 $\left(\begin{matrix}36-34\\43-44\end{matrix}\right)$ 78

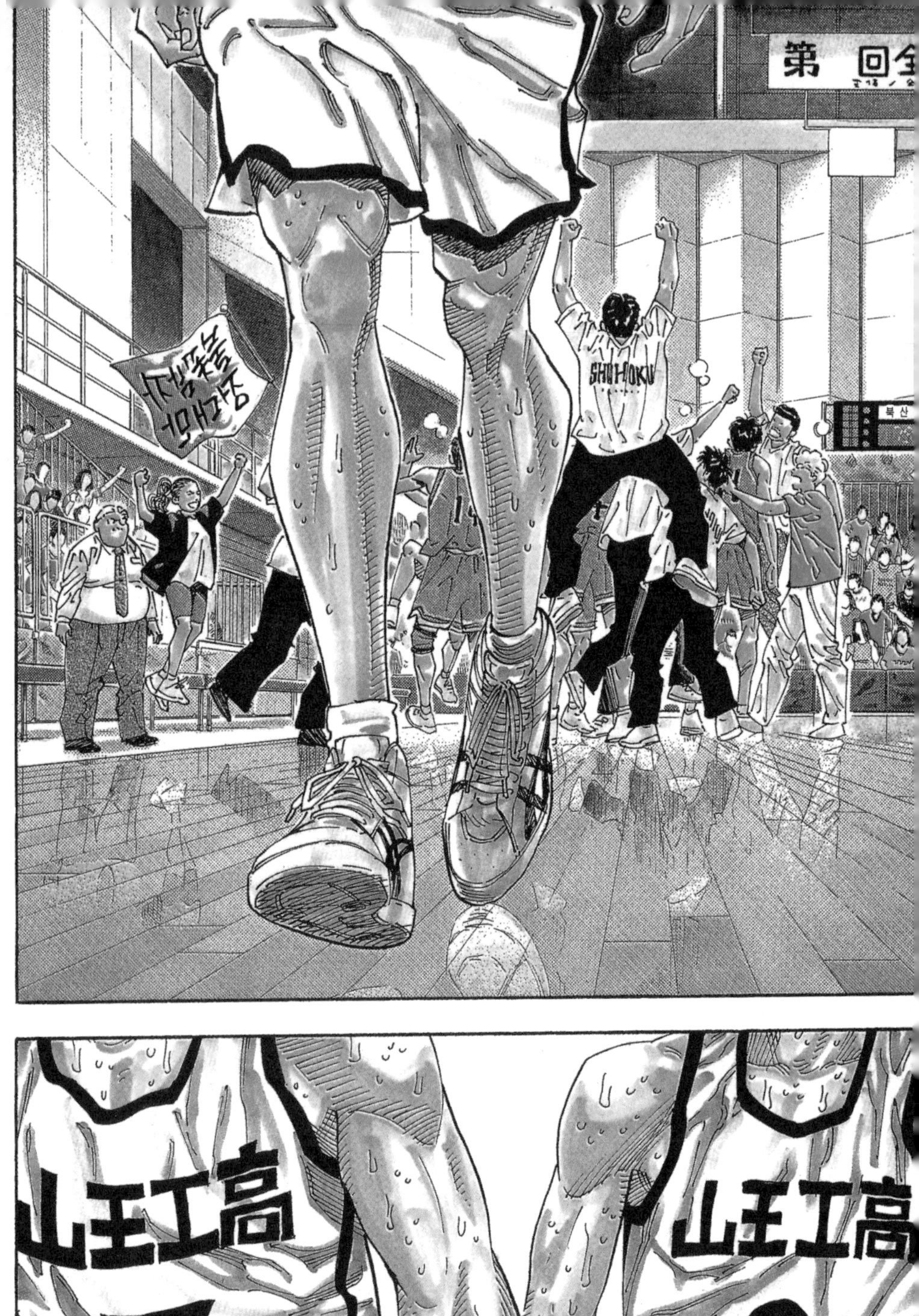
第 回全
SHOHOKU
북산

山王工高
7
山王工高
9

다시
시작하자.

우리가
진 것이
얼마만이냐.
이번 경험은
커다란 재산이
될 것이다.

자, 찍습니다—.
이건 표지로
장식할 테니까
모두 멋진
포즈를….

표지는 아직
결정되지
않았잖아!
괜찮아요!
편집장님은 제가
설득하겠습니다!
어쨌든
산왕을 이긴
팀인걸요!!

이 시합을 본 것이
나의 기자 인생을
바꿀 것 같은
예감이….
이제부터
진지하게—!!
뭐시라?!

어서 찍지 못해!

앗~!
죄송, 죄송!
찍습니다.
피곤해
죽겠는데…
빨랑
찍어.
너무
살벌한데요.
얼굴 좀 펴주세요.

…그러나
이 사진이
표지로
사용되는 일은
없었다.

산왕과의 사투에
모든 힘을 쏟아낸
북산은

이어지는
3회전에선
거짓말처럼
참패를 당했다.

송태섭!

모두들
기다리고
있어!!
인사말은
생각해
뒀겠지?!
에헴.
내가
새 주장
송태섭이다!!
알겠지!

백호에게.

여긴 새로운
북산 농구부가
시작됐어.
뭘 그렇게
개폼잡고
난리냐?
평소대로
해!
눈엣가시
같으니라구….
윽…

이제부턴
도내에서도
견제받는 팀이
됐다.
하지만 아직
우리에겐
위가 있다는 걸
잊지 마라.

오빤 체육대 추천 얘긴
사라지고….
예전부터 희망했던
학교에 시험치기로
했어.
은퇴하든
안 하든 어차피
떨어질 녀석은
떨어져!
바보
같은 놈.
불평을
늘어
놓는 건
대만
선배.
준호 선배까지
포함해
두 사람 모두
수험생이지.

가장 쓸쓸해
했던 것도
대만 선배였어.
이제
와서
말이야

내 얘길
한다면—.

한나 언니
설득에
넘어갔어.

북산은 전국제패를
노리는 팀이기 때문에
혼자 힘으론
부족하다며….

그리고
전국 2위의
해남!!
전부
눌러버리고
우리 북산이
나가는 거야!
윤대협이
있는
능남!!
그래.
오옷!!
북산~!
파이팅!
아잣!!

…이제부턴 매주
농구부 상황 등을
편지로 쓸게.
이것이 나의
첫 임무니까.
매주…

……

…소연이의
편지라♡
쏴아…

P.S.—
응?

쏴아아아

태웅이가
주니어
국가대표팀
합숙에서
곧 돌아온대♡
탁 탁 탁

구…
국가대표!!

엇……

팍
!!

턱
턱
턱
부들
부들
부들
국…가…대…표!!
저놈시키!……

야, 서태웅
이놈아!
내 보결로
선발된
주제에…!
알긴아냐…!

백호군.

시간 다 됐어.

오늘은 좀
힘들 거야.
후훗.
그래요?

주섬
주섬

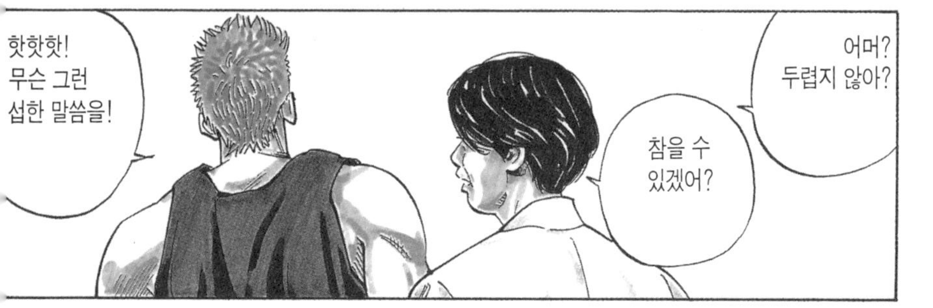
어머?
두렵지 않아?
참을 수
있겠어?
핫핫핫!
무슨 그런
섭한 말씀을!

힘내,
백호야.

이 재활훈련이
끝나길

기다리고
있을 테니까….

뛰어,
더 빨리―!

으랏차!
우웃!!
!!

철썩
나이스!!

…이젠
내 시대야….
뭣이?!

……

기다리고
있을
테니까….

네가 아주
좋아하는
농구가
기다리고
있을 테니까.

물론!
난 천재니까.
24 SLAM DUNK(完)

슬램덩크 완전판 프리미엄 24

2007년 9월 23일 1판 1쇄 발행 2023년 2월 14일 2판 3쇄 발행

•

저자 ······ TAKEHIKO INOUE

•

발행인 : 황민호
콘텐츠1사업본부장 : 이봉석
책임편집 : 김정택/장숙희
발행처 : 대원씨아이(주)

•

서울특별시 용산구 한강대로 15길 9-12
전화 : 2071-2000 FAX : 797-1023
1992년 5월 11일 등록 제 1992-000026호

•

•

ISBN 979-11-6944-821-5 07830
ISBN 979-11-6944-793-5 (세트)

•

10